An Lacha sa Ghort

MARTIN WADDELL

a scríobh

HELEN OXENBURY

a mhaisigh

MÁIRE NÍ ÍCÍ

a d'aistrigh

Ⓖ AN GÚM

BAILE ÁTHA CLIATH

Bhí lacha ann tráth,

is nach uirthi a bhí an mí-ádh!

Chónaigh sí i dteach

le seanfheirmeoir leisciúil.

Rinne an lacha an obair go léir.

D'fhan an feirmeoir sa leaba

an lá ar fad.

Nuair a thug an lacha an bhó abhaile ón bpáirc

gháir an feirmeoir os ard,

"Conas tá an obair ag dul ar aghaidh?"

D'fhreagair an lacha,

"Vác!"

Thug an lacha na caoirigh ón gcnoc.

"Conas tá an obair ag dul ar aghaidh?"

a gháir an feirmeoir leisciúil.

D'fhreagair an lacha,

"Vác!"

Chuir an lacha na cearca sa chró.

"Conas tá an obair ag dul ar aghaidh?"

a dúirt an feirmeoir.

"Vác!"

arsa an lacha.

D'éirigh an feirmeoir ramhar ó bheith ina luí sa leaba

agus d'éirigh an lacha bhocht bréan

de bheith ag obair gan stad.

"Conas tá an obair ag dul ar aghaidh?"

"Vác!"

"Conas tá an obair ag dul ar aghaidh?"

"Vác!"

"Conas tá an obair ag dul ar aghaidh?"

"Vác!"

"Conas tá an obair ag dul ar aghaidh?"

"Vác!"

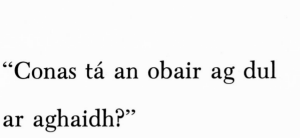

"Conas tá an obair ag dul
ar aghaidh?"

"Vác!"

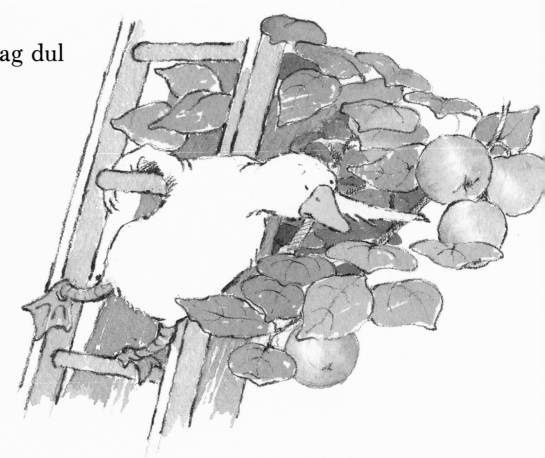

"Conas tá an obair ag dul
ar aghaidh?"

"Vác!"

An lacha bhocht.

Bhí sí tinn tuirseach

agus tháinig na deora léi.

Tháinig imní ar na cearca;

bhí an bhó is na caoirigh buartha.

Bhí cion acu ar an lacha.

D'fhógair siad cruinniú istoíche

faoi sholas na gealaí

agus chinn siad ar phlean

don lá arna mhárach.

"Mú!"

a dúirt an bhó.

"Mé, Mé!"

a dúirt na caoirigh.

"Goc, Goc!"

a dúirt na cearca.

B'in é an plean a bhí acu!

Go díreach roimh éirí gréine bhí clós na feirme faoi shuan.

Isteach an doras cúil leis na cearca is na caoirigh

agus an bhó.

Seo leo tríd an halla.
Bhain siad díoscán as
an staighre agus iad
ag dul in airde.

Isteach leo faoi leaba an fheirmeora
ghránna agus thosaigh á corraí anonn
is anall.

Bhog an leaba, dhúisigh an fear
de phreab,

"Conas tá an obair
ag dul ar aghaidh?"
thosaigh sé a rá
ach ...

"Mú!"

"Mé!"

"Goc!"

D'ardaigh siad an leaba

agus thosaigh sé ag béicíl.

Luasc siad agus lasc siad é

agus chas siad é

gur thit sé de phlimp amach ar an urlár.

Rith sé amach an doras; lean siad go léir é,

ag gocarsach, ag búireach is ag méileach.

Síos an bóithrín leis ...

"Mú!"

trasna na páirce ...

"Mé!"

thar dhroim an chnoic ...

"Goc!"

Is níor fhill sé riamh.

Dhúisigh an lacha agus
shiúil sí go trom isteach sa chlós.
"Conas tá an obair
ag dul ar aghaidh?"
Cheap sí go mbeadh
glór an mháistir le clos.
Ach ní raibh sé ann!

Is ansin a d'fhill ar ais

na cearca, an bhó is na caoirigh.

"Vác?" a d'fhiafraigh an lacha.

"Mú!" a dúirt an bhó.

Dúirt na cearca, "Goc Goc!"

"Mé Mé!"

a d'fhreagair na caoirigh.
Agus thuig an lacha
an scéal.

Ansin thosaigh siad ag obair

ar an bhfeirm

agus gach aon "Vác, Vác!", "Mú, Mú!"

"Goc, Goc!" agus "Mé, Mé!" astu.